SPÉCIAL V

D1047487

L'Œil du lynx

Sur les pas de Paul Nature

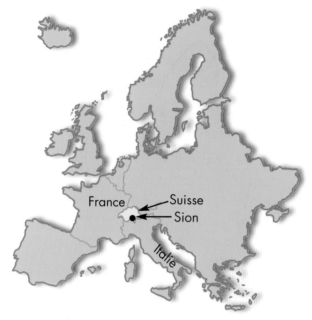

Cette histoire se passe en Suisse
dans le Valais, au-dessus de Sion.

SPÉCIAL VERT

L'Œil
du lynx

écrit par Alain Surget

épigones

I

Adrien

Adrien s'arrête. Il n'ose plus bouger de peur qu'une brindille ne craque sous ses pieds. L'oiseau est là, sur le tronc, à taper du bec pour faire sortir les vers de l'écorce. C'est un beau pic tout noir avec une crête rouge. Avec des gestes lents, Adrien ouvre son bloc à dessin, prend son crayon et commence à esquisser le modèle. En quelques traits rapides, l'adolescent campe l'oiseau sur sa feuille. Le pic se fige tout à coup, tourne la tête, puis il s'enfuit d'un vol sinueux.

Adrien s'assoit alors sur une souche rongée par la mousse et qui sent le moisi. Il corrige un peu le dessin du bec, précise un détail sur les pattes, après quoi il passe à la couleur. Il a pris l'habitude, depuis des semaines, de venir par beau temps dans cette forêt au-dessus de Sion. Armé de ses crayons et de son bloc à dessin, il s'installe derrière un arbre ou se tapit dans les fourrés, et attend, immobile, que des animaux se présentent à sa portée. Adrien a déjà réalisé bon nombre de croquis d'oiseaux, d'écureuils, de daims, même de renards...

Le vent lui apporte soudain une odeur forte, un relent de bête. « Ce ne sont pas des effluves de sanglier ni de renard », se dit-il. Adrien s'aplatit au sol et rampe vers un massif de fougères. Là, il pile net, figé par la surprise. Un lynx se chauffe au soleil, à une dizaine de mètres de lui. Il est couché dans la position du sphinx et semble somnoler, mais Adrien le sait aux aguets, à l'écoute du moindre bruit. C'est une belle bête au pelage brun-gris tacheté de points noirs. Comme des insectes volettent autour d'elle, elle agite constamment ses oreilles terminées par de longs pinceaux de poils. Adrien aimerait sortir son bloc et son crayon de son sac, mais il craint que le plus petit geste ne fasse fuir l'animal. Alors il l'observe pour graver son image dans sa mémoire.

C'est ainsi qu'il remarque que l'œil gauche du lynx est cerné par des raies noires plus épaisses qu'autour de l'œil droit, lui donnant l'aspect d'un œil fardé, tel qu'on en trouve sur les peintures de l'Égypte antique.

Tout à coup le lynx se redresse. Il reste un moment assis, à scruter devant lui, et brusquement se ramasse sur lui-même et commence à avancer, le ventre au ras du sol. « Il a repéré une proie. Il tente son approche masquée. » L'animal se glisse rapidement entre les herbes et disparaît à la vue de l'adolescent. Presque aussitôt Adrien entend le bruit d'une course, puis ce qui lui paraît être un combat ponctué de râles. « Ça y est, il a capturé sa proie. »

Pourtant, les bruits et les gémissements continuent, comme si l'affrontement n'en finissait pas. Adrien

suppose que le lynx a attaqué une biche et qu'elle met du temps à mourir, asphyxiée, la gorge serrée entre les mâchoires du félin. Il décide d'approcher afin de surprendre la scène. Des buissons s'agitent près de lui, des cris brefs s'en échappent, sortes de grognements de rage et de miaulements étouffés.

– Ce n'est pas normal, s'étonne Adrien à mi-voix. On dirait que c'est le lynx qui souffre.

Il contourne les taillis, et ce qu'il découvre lui arrache un cri de stupeur. Le lynx est pris dans un collet ! Dès qu'il aperçoit l'adolescent, le lynx cesse de se débattre et s'aplatit au sol, les yeux rivés sur Adrien.

– Pauvre bête, comment te sortir de là ?

Adrien se met à lui parler doucement, pour le calmer. L'animal semble l'écouter, la tête posée sur les pattes, puis il panique à nouveau, se roule sur le dos pour tâcher de se libérer du fil d'acier qui l'étrangle. Adrien ne sait que faire. Il aimerait tant desserrer le collet ou le détacher de l'arbuste auquel il est fixé, mais il craint que le lynx ne le morde s'il tend la main vers lui. La bête s'épuise, se repose un instant, le souffle court, les flancs soulevés par une respiration hachée. La gorge en feu, elle émet une série de hoquètements, de sons rauques, comme si elle essayait de tousser. Elle lève les yeux sur Adrien, un regard où transparaît toute sa peur. L'adolescent est désespéré de ne rien oser tenter pour sauver l'animal.

— Ne tire pas, ne te débats plus, recommande-t-il au lynx comme si celui-ci pouvait le comprendre. Tu vas t'étrangler si tu t'excites. Ne bouge plus, je vais aller chercher de l'aide.

Adrien se dépêche de retourner à Sion tandis que le félin se démène des quatre pattes pour s'arracher du piège. En vain. À chaque secousse, le fil lui entre un peu plus dans la gorge.

Une heure plus tard, quand Adrien revient en voiture avec son père et un voisin, c'est pour découvrir que le lynx a disparu.

– Il a réussi à s'échapper, soupire-t-il, soulagé.

Sceptiques, les deux hommes étudient le sol et les broussailles.

– Le collet aussi a disparu, relève son père.

– Le lynx l'aura arraché de l'arbuste et traîné derrière lui, présume Adrien. Il finira bien par extraire sa tête du...

– Je ne crois pas, coupe le voisin. Il n'y a aucune éraflure sur le tronc. Un braconnier est venu emporter la bête et le piège.

– Mais comment ?

– En tuant le lynx, pardi ! Regarde, il y a quelques gouttes de sang sur l'herbe.

Adrien se baisse, passe un doigt sur les taches : le sang est déjà sec.

« Le braconnier était peut-être là pendant que je parlais au lynx, pense Adrien. Dès que je suis parti, il s'est empressé de faire disparaître toute trace de son méfait. »

– Pourquoi il a voulu tuer cette bête ? demande-t-il, la gorge nouée.

– Va-t'en savoir, répond son père. Ce n'est pas la première fois que ça arrive. Il y a sans doute quelqu'un qui a décidé d'éliminer les lynx dans cette région.

2

L'inconnu du bois du lynx

Depuis trois jours, Adrien retourne chaque après-midi dans le bois. En
plus de son bloc à dessin et de ses
crayons, il promène dans son sac des
gants épais et une pince coupante au
cas où il découvrirait de nouveaux

collets : alors, sans hésitation, il cisaillerait le fil d'acier.

Il croise parfois des promeneurs qui viennent prendre le frais sous les arbres. Quand un visage l'accroche, quand une expression retient son attention, Adrien s'adosse à un tronc et griffonne rapidement un portrait, un profil, une moue... Certains lèvent sur lui un regard interrogateur lorsqu'ils le voient fourrager dans les fourrés avec un bâton.

– Vous avez perdu quelque chose ? demande une dame.

Peut-il avouer qu'il cherche des pièges posés par les braconniers ? Il fait non de la tête, continue à passer son bâton dans les rameaux touffus.

Ce jour-là, Adrien s'est enfoncé dans la forêt, loin des promeneurs et de leurs chiens. Il déniche un poste d'observation derrière un framboisier sauvage et s'y tapit, la feuille et le crayon à la main. Là, il patiente un long moment, attendant le coucou, la fauvette, le rossignol ou la bécasse, à moins qu'il n'ait la chance d'apercevoir une martre, une fouine, une hermine ou un couple de blaireaux.

Une silhouette d'homme se découpe tout à coup au sommet d'un talus, sous des sapins. « C'est un promeneur, songe Adrien avec dépit. Il va déranger les animaux, les faire fuir. » L'homme marque un temps d'arrêt, comme s'il étudiait les alentours, puis il se dirige vers un tronc, en fait le tour, penché vers le sol. Il remue quelque chose du pied, se baisse, recule, farfouille dans un massif de ronces, se redresse, regarde à nouveau autour de lui, les poings sur les hanches. « C'est un braconnier, pense Adrien, intrigué par son manège. Il est en train de poser ses collets. » Une idée folle lui traverse alors l'esprit : s'approcher assez près du bonhomme pour distinguer son visage et le dessiner, puis rentrer à Sion et montrer le portrait aux gendarmes.

Adrien s'extrait lentement de son abri. Se faufilant d'arbre en arbre, se dissimulant derrière les taillis, l'adolescent progresse silencieusement vers l'inconnu qui, accroupi devant des buissons de myrtilles et de chèvre-feuilles, tâte le sol de ses deux mains. Un claquement sec ! L'homme vient de couper quelque chose. Sans doute une longueur de fil pour que le collet soit le plus court possible. L'homme se relève, contourne les buissons. Adrien s'aplatit derrière ses taillis, prêt à le voir resurgir d'un côté ou de l'autre. Mais il en met du temps pour réapparaître, le bougre ! « Il n'a pas pu remonter sur la crête sans que je l'aperçoive, s'inquiète Adrien, l'espace est dégagé là-bas, entre les sapins. Où est-il ? Qu'est-ce qu'il fabrique ? »

– Vous pouvez sortir de votre trou ! lance une voix dans son dos.

L'adolescent a un haut-le-corps. L'individu vient de le surprendre par derrière. Adrien se retourne, le cœur battant.

– Je pensais avoir débusqué un adulte, poursuit l'inconnu sur un ton étonné, mais tu me sembles bien jeune pour être un braconnier.

– Je... je dessine des plantes... des animaux, bredouille Adrien.

Il lui tend son bloc afin de prouver sa bonne foi.

– Je vous ai pris pour un braconnier, moi aussi, avoue-t-il avec un soupir de soulagement.

L'homme sourit. Tout en feuilletant le bloc, il annonce :

– Je m'appelle Paul Nature. Nous avons été avertis de la disparition de plusieurs lynx dans la région, aussi l'association « *Faune en Détresse* » m'envoie-t-elle enquêter sur place. Je viens juste de détruire un collet tendu dans ces arbustes... Mais je vois que tu as dessiné un lynx ! Tu as un fameux coup de crayon ! On jurerait une photographie. Et tu réussis très bien aussi tes portraits, assure-t-il en découvrant des visages saisis sur le vif.

Mis en confiance, Adrien lui raconte sa rencontre avec l'animal quelques jours plus tôt, et son dénouement tragique.

– Je n'arrive pas à oublier son regard, termine-t-il. La bête m'écoutait comme si elle comprenait mes paroles. Son expression me hante jour et nuit. Je me sens coupable de sa mort. J'aurais dû essayer d'arracher le fil.

– Le lynx t'aurait attaqué. Tu as réagi comme il le fallait. Il est regrettable que le braconnier t'ait pris de vitesse.

– Ça me pèse sur l'estomac. J'ai l'impression d'avoir une pierre dans le ventre.

Paul Nature pose sa main sur l'épaule d'Adrien.

– Ne te reproche rien. J'ai vécu une situation identique, déclare Paul en commençant à marcher. J'étais âgé d'environ douze treize ans et je m'occupais tous les matins de sortir et de nourrir mes canards.

– Vos parents tenaient un élevage ?

– Non, nous avions quatre canards, c'est tout, mais je les aimais beaucoup. Je n'aurais jamais permis qu'on les mange. Nous habitions près d'une forêt, et il n'était pas rare d'apercevoir une famille de renards s'enhardir autour des maisons, surtout en période de grand froid. Mon père avait bien grillagé l'enclos, mais les renards, ça creuse. Comme les voisins avaient perdu toutes leurs poules l'hiver précédent...

– À cause des renards ? coupe Adrien.

– Des renards, des fouines, des belettes... Les bois pullulaient de prédateurs... Comme les voisins avaient perdu toutes leurs poules, reprend Paul Nature, mon père s'est résolu à poser des collets à certains endroits, là où le grillage était légèrement surélevé par rapport au sol. Si bien qu'un matin, après avoir sorti mes canards, j'ai découvert un renard prisonnier.

– Vous avez appelé vos parents...

– Ils venaient de partir. J'étais seul face à une bête qui se débattait dans son filet d'acier. Ma première réaction a été de lui parler, de lui faire la morale, de lui expliquer qu'il ne fallait plus se glisser sous le grillage dans le but d'emporter mes canards. Je ne sais pas si quelqu'un a déjà tenu un aussi long discours à un animal des bois. Le plus surprenant, c'est que j'avais l'impression qu'il m'écoutait : il avait les pattes et la tête sous le grillage, et il me fixait comme si j'étais tout ce qui existait pour lui à ce moment.

– Exactement comme mon lynx. Vous l'avez libéré ?

Paul ne répond pas tout de suite. Ils ont atteint le sommet de la butte. Adrien relance sa question.

– Alors ?

– J'y ai pensé, mais je me suis dit qu'il risquait d'attaquer mes canards. D'un autre côté, je ne pouvais pas le laisser s'étouffer dans son lacet. J'étais déchiré entre la vie de mes canards et celle du renard.

– Vous pouviez les ramener dans le poulailler.

– Ce n'est pas facile d'attraper des volailles, surtout quand elles sont paniquées et qu'elles peuvent se sauver dans une mare. J'ai préféré attendre que mes parents reviennent. Je voyais le renard se tordre au bout de son fil, ça me faisait mal, mais je ne suis pas retourné vers lui. Pour me donner bonne conscience, je me persuadais que, de toute façon, il ne m'aurait pas laissé approcher la main du grillage. Quand mes parents sont enfin rentrés, il était trop tard. Le voisin était venu tuer le renard : il ne restait plus que le collet vide et trois gouttes de sang sur l'herbe.

Ils marchent en silence. Le sous-bois s'épaissit sous les feuillus. Paul murmure :

– Il y a des images qui ne nous quittent jamais.

– On se ressemble, conclut Adrien. Je comprends qu'il ait voulu tuer son voleur de poules, votre voisin, mais pourquoi est-ce qu'on s'en prend aux lynx ?

– Eux aussi s'approchent des basses-cours quand les proies se font rares. Il y a eu des cas de brebis égorgées ; et les chasseurs se plaignent car les lynx font fuir les daims et les cerfs. On raconte même qu'un touriste a été attaqué par un lynx.

– J'ai entendu cette histoire. On prétend d'ailleurs que le touriste a disparu. Vous y croyez, vous ?

– Pas du tout.

Paul Nature se met à rire, ajoute :

– J'imagine mal un lynx traîner un homme dans un lieu abrité pour le dévorer.

Il s'arrête près d'un sentier.

– Je vais remonter du côté de Mayens de Naz, poursuit Paul. Je découvrirai peut-être des traces de lynx par là-bas. Ma voiture est garée plus loin. Je serais heureux de te revoir pour admirer tes dessins.

– Vous logez où ?

– À l'Aiguille de la Tsa, à Arolla, pour quelques jours encore.

– Je viendrai, je vous le promets. D'ici là, bonne chance avec vos lynx !

– Les braconniers finissent toujours par commettre une erreur, assure Paul Nature. Je les trouverai.

3

Figé pour l'éternité

Le lendemain matin, Paul Nature entame à peine son petit déjeuner qu'Adrien pénètre en trombe dans la salle de restauration de l'hôtel.

– Regardez ça ! s'écrie-t-il en brandissant le croquis de son lynx.

Il vient l'agiter sous le nez de Paul.

– Je l'ai vu hier en feuilletant ton

bloc, rappelle l'homme. Il est très réussi.

– J'ai du nouveau, annonce Adrien en baissant la voix et en jetant un œil sur les clients autour de lui.

Il tire une chaise, s'assoit à côté de Paul et prend un air de conspirateur.

– Ce dessin est celui du lynx qui s'est fait prendre dans le collet il y a quelques jours. Eh bien, figurez-vous que je viens de l'apercevoir dans la vitrine du taxidermiste.

Paul a un mouvement de surprise.

– Tu es sûr que c'est le même ?

Adrien montre un détail de son dessin.

– Observez bien le dessin de son œil gauche. Voyez cette raie noire ! L'animal empaillé porte cette particularité. Je suis certain de ne pas me tromper. Et puis qu'est-ce qu'un animal protégé fait dans une vitrine ?

– Ne t'emballe pas ! Les natura-
listes ont le droit d'empailler des animaux trouvés morts.

– Qui lui a apporté ce lynx ? Le
braconnier ? Un promeneur qui
aurait découvert la bête étranglée
dans son collet ? Moi, je pense que
c'est le taxidermiste le coupable.

– Et il exposerait son méfait aux
yeux de tous ?

– Justement ! On se dit que ce
n'est pas possible, qu'il ne peut pas
étaler sa faute au grand jour. Il compte là-dessus pour jouer l'innocent.

– Hum, grogne Paul, peu convain-
cu. Avant toute chose, j'aimerais aller
examiner l'œil de ton lynx.

Une demi-heure plus tard, Paul
Nature et Adrien sont devant la bou-
tique du taxidermiste. Un rapide
coup d'œil à travers la vitrine lève le
doute : c'est bien le même animal

que celui que l'adolescent a reproduit sur sa feuille.

– Le taxidermiste l'a figé dans une drôle d'attitude, remarque Adrien, on dirait que le lynx est en train de se débattre dans son collet.

Paul pousse la porte, déclenchant un tintement de clochette qui attire aussitôt une vendeuse.

– Votre lynx est superbe, commence Paul Nature.

– C'est notre plus belle pièce, assure la jeune femme avec un sourire de chatte.

– J'aimerais l'acquérir, mais j'aurais besoin d'un certificat qui atteste que cette bête a bien été trouvée morte. C'est la loi, fait-il en rendant son sourire à la vendeuse.

Elle lui demande de patienter un instant, le temps d'aller chercher son patron. Elle sort par une porte au fond du magasin. Une tête apparaît alors dans l'entrebâillement, puis s'éclipse. Mais Paul a surpris le mouvement : c'est un homme, aux cheveux et à la barbe grisonnante. « J'ai déjà vu cette tête-là quelque part, » se souvient-il, troublé. En attendant la venue du taxidermiste, Adrien et lui regardent autour d'eux. Les rayonnages croulent sous un nombre impressionnant d'animaux : ici des roitelets huppés piqués sur leur branche, une poule d'eau lovée dans son nid d'herbes ; là une famille de mulots, un levraut dressé sur ses pattes, l'air étonné, comme s'il essayait encore de comprendre ce qui lui est arrivé ; en face de lui un renard en position d'attaque, et deux marcassins scellés sur le même socle. Un héron et une hure de sanglier trônent au-dessus d'une armoire vitrée contenant des bocaux remplis de serpents conservés dans du formol. Le comptoir lui-même est une vitrine exposant de splendides papillons... Des pas. Un homme pénètre dans la pièce, précédant sa vendeuse. Il salue ses clients, et ouvre un tiroir derrière le comptoir.

– Cette bête m'a été remise il y a quelques jours par la gendarmerie elle-même, explique-t-il en exhibant un papier muni de tampons. Elle a été découverte morte, sans doute tuée par un animal : peut-être un chien, un autre lynx ou même un sanglier.

– Vous n'avez pas pu le définir ?

– Non. Son agresseur s'est acharné sur ce lynx, au point de rendre méconnaissable toute marque de crocs, de défenses ou de sabots. Mais rassurez-vous, on ne voit plus rien, j'ai fait de l'excellent travail.

Le taxidermiste sort le lynx de

la vitrine, le dépose sur le comptoir.

– Où était-il blessé ? demande Adrien qui sent son coupable lui échapper.

– À la gorge !

L'adolescent échange un coup d'œil avec Paul Nature. La preuve est faite, c'est bien son lynx. L'homme a beau raconter ce qu'il veut, c'est lui le coupable !

Remarquant son air inquisiteur, Paul tend le certificat à son jeune compagnon.

– Tout est en règle, affirme-t-il.

Adrien le parcourt rapidement des yeux : tout confirme les dires de l'empailleur. Il soupire, prend une mine dépitée. C'est à peine s'il entend l'observation de Paul :

– Tiens, vous avez aussi recousu des morceaux de fourrure sur son dos.

– Vous avez l'œil, sourit le naturaliste. Ce lynx avait la gale. Je lui ai refait un lifting de la tête à la queue. Un embaumement de première classe, digne d'un pharaon.

– Je l'admets, c'est du bel ouvrage.

– Ce qui justifie son prix, glousse le bonhomme en croisant les doigts sur son ventre.

Paul semble réfléchir, puis il se décide d'un coup.

– Je le prends.

– Vous avez du goût, monsieur.

– Disons que j'aime les animaux. Pouvez-vous me le faire livrer à l'Aiguille de la Tsa, à Arolla ? Paul Nature, chambre 13...

De retour dans la rue, Adrien laisse éclater sa colère.

– Enfin quoi, qu'est-ce qui se passe avec vous ? Vous entrez pour confondre un coupable et vous lui achetez ce lynx ! Ce type vous a roulé dans la farine. S'ils se font tous avoir comme ça dans votre association, les trafiquants ont de beaux jours devant eux.

– Calme-toi.

– Rien du tout ! Attendez qu'on lui fournisse un second lynx et vous pourrez l'acquérir aussi ! Cela fera chouette de chaque côté de votre cheminée !

Pour toute réponse, Paul demande qu'Adrien lui montre son bloc à dessin. Il le feuillette tout en marchant, puis lui indique un visage. C'est un portrait d'homme, à la barbe grisonnante.

– Quand as-tu fait ce croquis ?

– Il y a plusieurs jours, dans la forêt. Je me rappelle l'avoir pris pour un bûcheron tellement il était carré d'épaules.

– Je l'ai vu chez le taxidermiste.

Sa tête ne m'était pas inconnue. Forcément, puisque je l'avais aperçue sur ton carnet, hier.

– Vous croyez que c'est lui le braconnier qu'on recherche ?

– Je n'ai rien dit de tel. On a le droit de se promener dans la forêt, à Sion.

– Vous allez enquêter comment, maintenant ?

– Oh, j'ai déjà appris des choses, mine de rien ! Je sais pourquoi le lynx a été abandonné par son braconnier. Après avoir tué l'animal, le malfaiteur s'est rendu compte que sa fourrure ne valait rien, car il avait la gale. Il s'est alors arrangé pour faire disparaître la marque du collet en lacérant la peau du cou, puis il a placé la dépouille sur un sentier de randonneurs. Je ne crois pas qu'il l'ait portée lui-même à la gendarmerie. Sans doute parce qu'il ne tenait pas à se faire reconnaître.

– Il pouvait la laisser sur place, l'enterrer...

– À mon avis, il a réagi en professionnel : le lynx retrouvait une certaine valeur commerciale s'il était correctement naturalisé. Or il n'y a qu'un taxidermiste à Sion.

La mine réjouie, Adrien s'exclame :

– Le coupable est donc bien l'empailleur !

– Ou quelqu'un qui tourne autour de lui, rectifie Paul Nature.

– Mais comment le confondre ? Il faudrait un flagrant délit !

– J'ai mon idée. Ton lynx va prendre sa revanche.

4

Un territoire Nature

Le bois s'est vidé de ses promeneurs. Le soir l'enténèbre de bleu,
poussant des ombres épaisses sur le
sol. Seules les ramures sont encore
traversées par de faibles traînées de
lumière. Pourtant une lueur perce au
ras des buissons, se déplace entre les
troncs, plonge, fouille, s'arrête, saute

d'un massif à l'autre… Deux silhouettes s'activent, remuent le tapis d'épines, les fougères…

– N'entaille pas l'arbre trop haut, chuchote une voix, et prends garde à ne pas laisser tes empreintes.

– Vous croyez que ça va marcher ?

– Un braconnier a l'œil aiguisé. Il verra les griffures sur les troncs et les attribuera à des lynx, explique Paul Nature.

Paul mène Adrien vers un tronc creux, accroche une touffe de poils à l'écorce, puis il répète l'opération sur des fourrés de ronces, parsème de poils quelques bruyères et en dépose devant une fissure de rocher.

– Voilà, souffle-t-il en se redressant, nous venons de délimiter un petit territoire de lynx. Nul doute que notre braconnier le découvre bientôt.

Il se hâtera alors de poser ses pièges.

– Comment comptez-vous le surprendre ?

– Les lynx sortent à la fraîcheur. En cette saison, la chaleur tombe vers dix-huit heures trente. C'est à ce moment que les animaux se mettent en chasse jusqu'au crépuscule. Ils sont particulièrement vulnérables en juillet car ils emmènent leurs petits avec eux. Le braconnier le sait et il dissimule ses pièges un peu partout sur le passage des bêtes. C'est à la nuit tombée qu'il vient les relever.

– Pourtant, la dernière fois, il faisait jour.

– Cela multiplie les risques. Il devait encore poser ses pièges quand il t'a entendu parler au lynx.

– Il n'y a donc plus qu'à guetter notre homme, dit Adrien en se frottant les mains.

– Laissons-lui le temps de découvrir notre faux territoire et d'y tendre ses collets. J'ai tissé ma toile. L'autre ne va pas tarder à s'y engluer.

Deux jours plus tard, Paul découvre enfin des collets dissimulés dans des taillis et sous les fougères. Des lambeaux de viande servent d'appâts, que Paul se hâte de faire disparaître pour éviter que des bêtes ne soient attirées vers les pièges. Il brise aussi les arceaux des racines où sont attachés les collets afin de permettre à un animal qui se serait fait prendre de se libérer facilement par ses bonds. Il ne conserve qu'un piège dans l'état : solide, aux brins d'acier torsadés, fermement fixé à son arbuste. Un vrai fil d'étrangleur. C'est là que Paul Nature attend son Raboliot !

5

Dans la gueule du lynx

Adrien est tout excité. La nuit est tombée depuis plus d'une heure et le bois repose dans un noir absolu. Si, le jour, le bruit vient des arbres et de leur population d'écureuils et d'oiseaux, la nuit, les sons montent du sol : ce sont des murmures de fougères, des soupirs d'arbustes, des froufrous de vent dans les feuilles... C'est comme si l'ombre respirait. Adrien est posté dans un trou, près du piège, une caméra à l'infrarouge entre les mains. Paul lui en a expliqué le fonctionnement avant de le masquer sous une couverture, elle-même recouverte de rameaux et de mousses. Adrien frissonne, non de froid mais de l'attente, d'une extraordinaire attente qui le crispe, le pétrifie, l'amène à l'anxiété.

Un bruit soudain ! Adrien retient sa respiration. Une brusque bouffée de peur le saisit aux entrailles : si l'homme tombe dans le trou, s'il découvre sa cachette, que fera-t-il ? Il est peut-être armé d'un fusil. Paul Nature a beau être tout proche, il n'est pas plus rapide qu'une balle...

Un craquement ! Un autre ! Cette fois plus de doute. Quelqu'un approche d'un pas lourd. Il doit se sentir en sécurité pour marcher aussi pesamment. Un éclair brille, se balance à hauteur d'homme, balaie le sol de son faisceau. Une torche électrique ! Adrien se fait tout petit, son cœur commence à battre très fort. Au bord de la panique, l'adolescent s'attend à chaque seconde à ce qu'on soulève son camouflage, qu'on l'attrape par le col, qu'on l'extirpe de son trou. C'est impossible que l'autre n'ait pas déjà entendu les coups sourds de son cœur. Cela cogne tellement dans sa poitrine et dans sa tête qu'Adrien a l'impression que toute la forêt s'est mise à résonner à l'unisson.

L'homme s'arrête, écoute la nuit. Il perçoit une froissée de feuilles sur sa droite, braque sa lampe dans la direction. Une tête de lynx surgit dans la lumière. L'animal marque un instant de surprise, ébloui, puis il reprend ses soubresauts pour essayer de se dégager du lacet qui l'étrangle.

– Hé ! Hé ! ricane le bonhomme en marchant vers lui, je savais bien que j'en prendrais encore d'autres.

Adrien applique la caméra contre son œil. Il n'a plus peur maintenant que l'autre est occupé avec son lynx. Le bruit de la bête qui se débat couvre le léger ronronnement de l'appareil. Le braconnier dépose un sac sur le sol, lève un gourdin.

– J'espère que tu n'as pas la gale, toi aussi !

Il frappe. Le lynx se tord. Un nouveau coup, d'une grande violence, lui brise le crâne.

– Tu es mort sans un cri, grommelle le bonhomme. Voyons ce que tu vaux, poursuit-il en desserrant le collet.

Mais lorsqu'il tire le lynx à lui, le braconnier reste figé de stupeur. C'est un faux ! Ou plutôt l'animal empaillé vendu à ce touriste qui loge à l'Aiguille de la Tsa ! L'homme ne comprend pas. Il a pourtant vu le lynx bouger. C'est alors qu'il découvre des fils attachés aux pattes.

– On a manipulé ce truc comme une marionnette, souffle-t-il dans un filet de voix.

Il jette un regard inquiet autour de lui, s'offrant bien de face à la caméra. C'est l'homme à la barbe grise.

– N'essayez pas de vous enfuir ni de me résister ! lance Paul Nature en sortant de derrière son rocher.

L'homme hésite. Il tient toujours son bâton à la main. Il lui reste l'ultime solution d'éliminer l'intrus et de fuir.

– Vous êtes filmé et cerné ! crie Adrien sans se montrer.

– Je ne suis pas seul, confirme Paul. Il vaudrait mieux lâcher votre gourdin et vous laisser lier les mains. Vos fils d'acier vont m'être bien utiles.

L'homme baisse la tête, exhale un soupir de dépit. Vaincu, il lâche le bâton, tend ses poignets. Adrien s'extrait de sa cachette et continue à filmer le braconnier sous le nez.

– Je ne porterai pas le chapeau, déclare le rouquin. Nous sommes plusieurs dans le coup, tant en Suisse qu'en France. Mais c'est toujours moi qui m'occupe de la sale besogne.

– L'empailleur fait partie de la bande ? demande Adrien.

– Lui non, mais certains de ses collègues oui, et dans différents pays ! Comme je suis son assistant, j'ai eu accès à bon nombre d'adresses. C'est un véritable réseau qui couvre le trafic des peaux de tigres, de léopards, de jaguars, de phoques, d'ours et j'en passe. Croyez-moi, termine-t-il avec un méchant rire, ils sont protégés par des gens puissants. Vous allez vous casser les dents contre ce monde-là.

– Je vous conseille néanmoins de révéler leurs noms à la police. Si ça ne soulage pas votre conscience, du moins cela allégera-t-il un peu votre peine.

D'une tape dans le dos, Paul donne le signal du départ.

– Une chance que j'aie pu réaliser un croquis de ce lynx, chantonne

Adrien, sans quoi vous risquiez de tourner en rond longtemps.

– C'est vrai, reconnaît Paul, tu es un dessinateur hors pair.

– En résumé, le lynx s'est bien vengé, conclut Adrien.

Des fourrés s'écartent après leur passage. Un lynx pointe sa tête. Il court vers un tronc incisé par Paul Nature, plante ses griffes dans les entailles et les recouvre de ses propres marques. Il répète l'opération sur un arbre voisin, s'y frotte ensuite pour déposer son odeur. D'arbre en arbre, de buisson en buisson, le lynx prend possession du territoire créé par Paul et s'en va l'étendre en direction du Val d'Hérens.

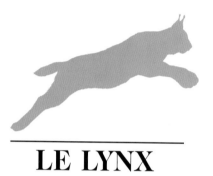

LE LYNX

Classification

Le lynx est un mammifère (la femelle a des mamelles).

Ordre des carnivores (il se nourrit de viande).

Famille des félidés (comme les chats, les lions, les tigres).

On connaît quatre espèces : le lynx d'Espagne, le lynx des États-Unis aussi appelé chat sauvage, le lynx du Canada, un peu plus grand, et celui d'Eurasie, dont on parle dans l'histoire.

En Europe, le lynx est le plus grand des félins. On l'appelait autrefois « loup-cervier ».

Habitat

Les lynx vivent dans les endroits boisés de toutes les régions tempérées et subarctiques de l'hémisphère nord. Il se déplace de forêt en forêt et apprécie les sous-bois épais.

Caractéristiques physiques

Le corps est trapu, long de 70 à 130 cm, les pattes et la queue épaisses. Celle-ci mesure de 10 à 20 cm et se termine par un anneau noir. Les pattes sont comme des raquettes, équipées de coussinets poilus antidérapants sur la neige et permettant des déplacements absolument silencieux. Elles sont aussi dotées de griffes rétractiles qui servent pour capturer les proies, grimper aux arbres ou se maintenir sur sol glissant…

Un adulte mesure 60 cm à l'épaule, la tête est petite et large. Il pèse de 10 à 35 kg. La fourrure dense et douce est très recherchée, les poils peuvent mesurer jusqu'à 10 cm en hiver. Tachetée de noir, elle est un camouflage idéal. Elle passe du roux en été au gris en hiver.

La plupart des espèces se reconnaissent à leur pinceau de poils au bout des oreilles qui servent à repérer d'où viennent les sons, et à la longueur des pattes.

Territoire

Le lynx a besoin d'un vaste territoire de chasse : de 50 à 300 km², en fonction de la nourriture qu'il y trouve. Une fois qu'il a adopté un territoire, il ne le quitte qu'exceptionnellement.

Comportement

Sauf pendant la saison de reproduction, le lynx vit solitaire, rarement en petits groupes. Les *lynx sont d'habiles grimpeurs et nageurs. Ils peuvent guetter leur proie allongés dans un arbre. Par mauvais temps, ils s'abritent dans des grottes ou des arbres creux. Ils ne sont pas de grands coureurs, car leur cœur, très petit, ne résisterait pas, mais leur vue et leur ouïe perçantes leur permettent de repérer leurs proies même la nuit.*

Le lynx est actif au crépuscule et à la nuit. Le jour, il se repose dans des broussailles épaisses. Comme les chats, il peut passer des heures à sa toilette ou se faire les griffes sur les arbres, ce qui est aussi une manière de marquer son territoire.

Le lynx miaule et ronronne quand il est tout jeune, crache s'il est en colère, ou feule : son cri est le feulement, qui ressemble à un miaulement hurlé.

Il peut vivre jusqu'à quinze ans.

Nourriture / Chasse

Le lynx se nourrit d'oiseaux et de petits mammifères comme lapins ou musaraignes, d'insectes, de baies et de débris végétaux en été. L'hiver, il peut s'attaquer à un chevreuil ou un chamois. Il se contente d'1,5 kg de viande par jour. Mais il dépend beaucoup de la population de lapins. La myxomatose et les maladies qui frappent ces derniers sont une des causes de la raréfaction des lynx.

Pour chasser, il surprend sa proie en s'en approchant le plus près possible, car il peut courir vite, mais sur de courtes distances. C'est un excel-

lent sauteur, il parvient à sauter jusqu'à 4 ou 5 m. Il ne mange que la chair des animaux qu'il a tués lui-même.

<u>Reproduction</u>

L'accouplement a lieu entre janvier et mars. Les petits naissent après une période de gestation d'environ deux mois dans un endroit protégé : trou sous un arbre ou un rocher. Les portées comptent en moyenne un à quatre petits, qui naissent aveugles avec un pelage blanchâtre sans tache, et pèsent 200 g. La mère les allaite pendant environ cinq mois, mais leur donne assez vite de la viande en même temps. A la moindre alerte, elle les transporte dans sa gueule dans une autre cache. Le mâle ne s'occupe pas de la famille. Les jeunes restent avec leur mère jusqu'à la période d'accouplement suivante et quittent alors le territoire à la recherche du leur propre. Ils atteignent la maturité sexuelle vers deux-trois ans.

<u>Le lynx et l'homme</u>

L'homme est quasiment le seul prédateur du lynx. Aux XVIIème et XIXème siècles, le lynx a été exterminé dans toute l'Europe centrale pour sa fourrure. Il est inoffensif pour l'homme.

L'avenir du lynx

Le lynx d'Espagne, que l'on trouve aussi dans le sud du Portugal, est considéré comme en danger de disparition. Il est le plus menacé des carnivores européens. Il souffre du remplacement du maquis par des plantations d'eucaliptus et de pins, comme du développement économique et agricole, de la construction de routes, autoroutes, chemin de fer, qui réduisent sa zone d'habitat. La moitié de la mortalité chez le lynx d'Espagne est due aux pièges posés pour les renards et les lapins dans lesquels il se fait prendre. Beaucoup se font écraser par des voitures.

En France et en Suisse, on trouve des lynx dans les massifs montagneux des Alpes, des Vosges et du Jura. Ils ont sans doute disparu des Pyrénées. Certains sont venus d'eux-mêmes, d'autres ont été réintroduits. Les éleveurs se plaignent qu'ils attaquent leurs moutons et leurs chèvres, et les chasseurs qu'ils attaquent chevreuils et chamois, les rendant ainsi plus difficiles à chasser. Il est vrai que chamois et chevreuils deviennent plus méfiants quand ils retrouvent un prédateur, mais celui-ci s'attaque en priorité aux malades et aux plus âgés, et contribue ainsi à assainir la race. Quant aux troupeaux, le lynx ne s'en prend qu'à ceux qui ne sont pas gardés, et en

général proches d'une forêt. Les éleveurs sont rem-
boursés des bêtes tuées par des lynx.

Le lynx est maintenant protégé en Europe,
mais il est toujours braconné, piégé, empoisonné.
L'avenir du lynx dépendra de la capacité des
hommes à faire preuve d'un minimum de compré-
hension. Le lynx ne tue que ce qu'il mange : un chevreuil ou un chamois le nourrit pendant plusieurs
jours.

<u>Expressions</u>

Avoir un œil de lynx, ou des yeux de lynx :
avoir une vue perçante.